ROSELYNE RUTABAGA

remue ciel et terre!

MARiE-Louise GAY

Dominique et compagnie

À Eva, Kasia et Alexandre

Catalogage avant publication de Bibliothèque et Archives nationales
du Québec et Bibliothèque et Archives Canada

Gay, Marie-Louise
[Roslyn Rutabaga and the biggest hole on earth. Français]
Roselyne Rutabaga remue ciel et terre!
Traduction de : Roslyn Rutabaga and the biggest hole on earth.
Pour enfants.

ISBN 978-2-89512-957-8

I. Titre. II. Titre : Roslyn Rutabaga and the biggest hole
on earth. Français.

PS8563.A868R6714 2010 jC813'.54 C2010-940864-0
PS9563.A868R6714 2010

DOMINIQUE ET COMPAGNIE
300, rue Arran, Saint-Lambert (Québec) J4R 1K5
Téléphone : (514) 875-0327
Télécopieur : (450) 672-5448
www.dominiqueetcompagnie.com

Directrice de collection : Lucie Papineau
Dépôt légal : 3ᵉ trimestre 2010

Imprimé en Chine

Nous remercions le Conseil des Arts du Canada
de l'aide accordée à notre programme de publication.

Nous reconnaissons l'aide financière du gouvernement du Canada par
l'entremise du Fonds du livre du Canada pour nos activités d'édition.

Gouvernement du Québec - Programme d'édition et
programme de crédit d'impôt - Gestion SODEC.

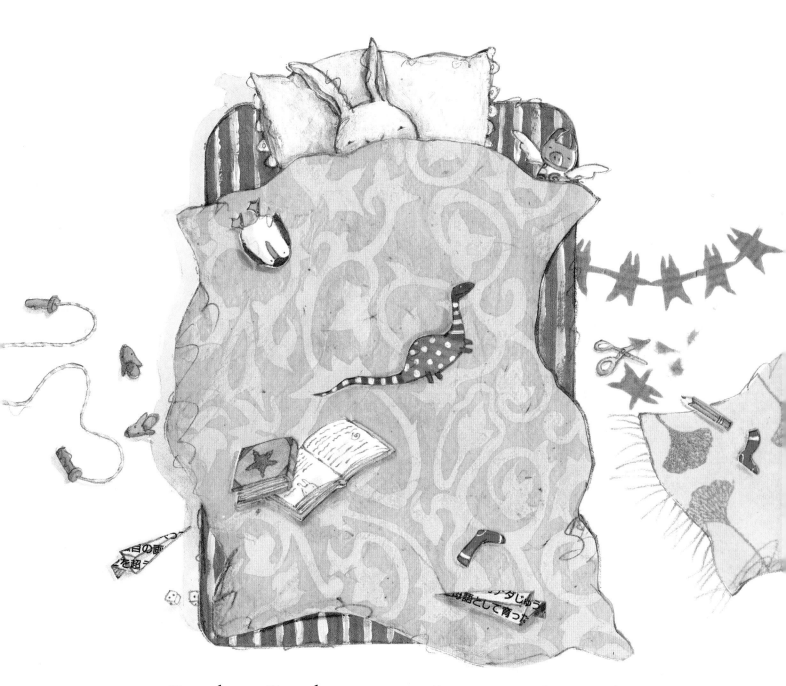

Roselyne Rutabaga est réveillée par une idée géniale.
« Aujourd'hui, pense-t-elle, je vais creuser un grand trou ! »

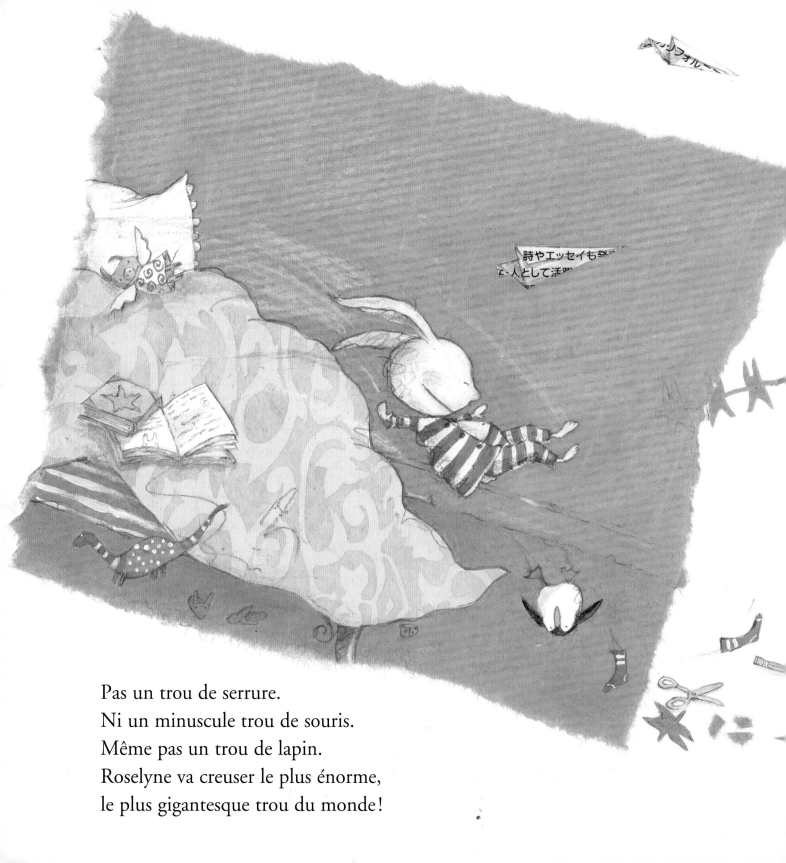

Pas un trou de serrure.
Ni un minuscule trou de souris.
Même pas un trou de lapin.
Roselyne va creuser le plus énorme,
le plus gigantesque trou du monde !

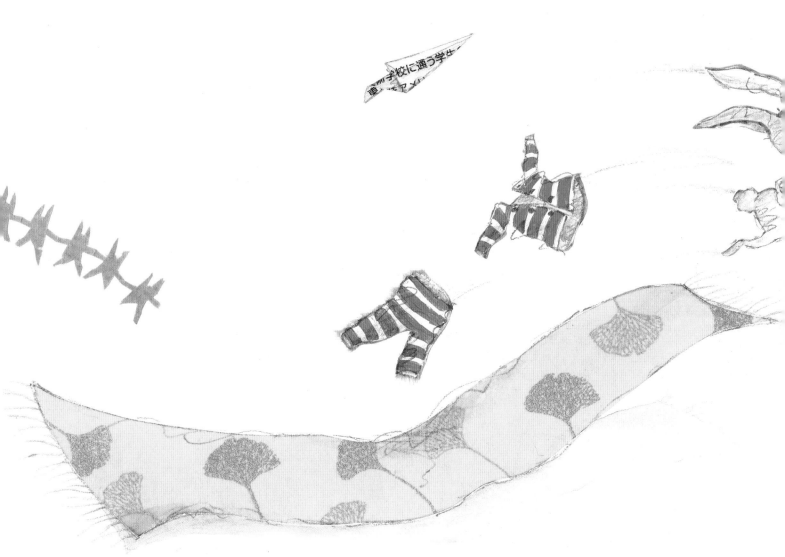

Peut-être creusera-t-elle jusqu'au centre de la terre ?
Peut-être trouvera-t-elle un trésor de pirate ? Ou une bague magique ?
Qui sait ? Tout est possible.

Hop!

Hop!

Hop!

En un clin d'oeil
et quelques coups de pattes,
Roselyne descend prendre son petit-déjeuner.

Hop!

– Tu fais quoi aujourd'hui, ma Roselyne? demande son papa.

Roselyne croque ses flocons de carotte en faisant un bruit du tonnerre.

– Je vais creuser le plus grand trou du monde, annonce-t-elle.

– Quelle bonne idée! dit son père.

– Je vais creuser jusqu'au centre de la terre, ajoute Roselyne.
Ou peut-être jusqu'au pôle Sud. J'aimerais bien rencontrer un pingouin.
– Apporte un chandail, dit son père. Il fait froid en Antarctique.

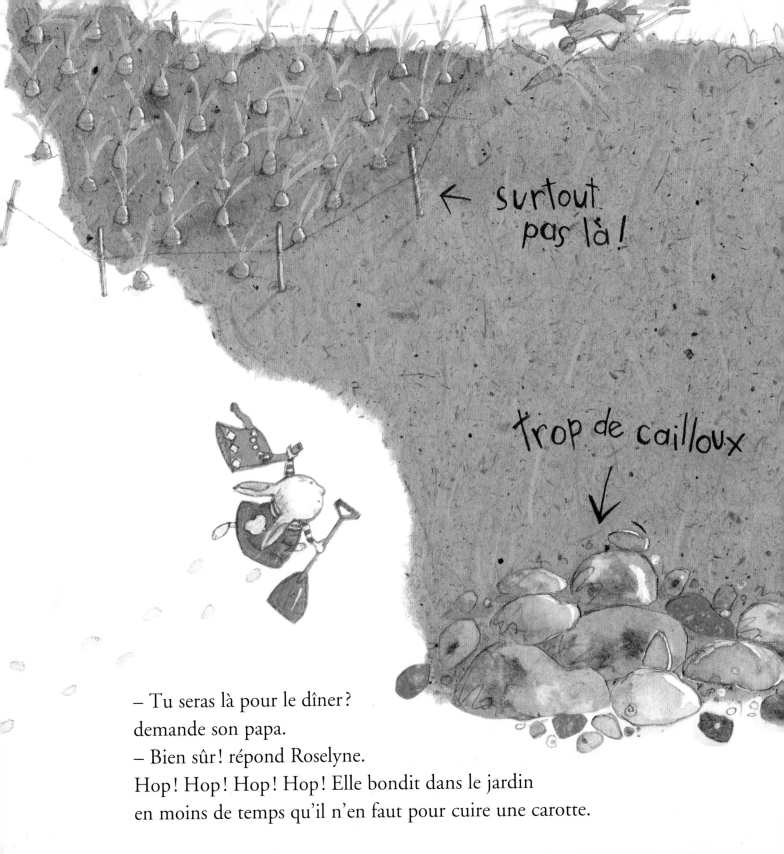

surtout pas là !

trop de cailloux

– Tu seras là pour le dîner ?
demande son papa.
– Bien sûr ! répond Roselyne.
Hop ! Hop ! Hop ! Hop ! Elle bondit dans le jardin
en moins de temps qu'il n'en faut pour cuire une carotte.

Roselyne cherche l'endroit parfait
pour creuser le plus grand trou du monde.
« Ici, il y a trop de cailloux, pense-t-elle. Et là, c'est trop près
du vieux chêne. Dans le potager de papa ? Surtout pas !
Ah ! se dit enfin Roselyne. J'ai trouvé ! »

Roselyne Rutabaga se met au travail.
– Aïe! Aïe! Aïe! râle un gros ver de terre.
Qu'est-ce que tu fais là?
– Tu vois bien que je creuse le plus grand
trou du monde, répond Roselyne.
– Mais tu es dans mon salon, tête de moineau!
crie le ver de terre. Tu ne peux pas creuser
ton trou ici…
Roselyne rougit.
– Désolée, monsieur, dit-elle,
je creuserai ailleurs.
Le ver de terre grincheux disparaît
subito presto entre deux pissenlits.
En quelques petits coups de pelle,
Roselyne remplit le trou.

Roselyne se met à creuser un peu plus loin, près de la clôture.
Elle creuse et creuse et creuse. Une taupe apparaît, les yeux
plissés sous le soleil.

– Que fais-tu dans ma chambre à coucher ? rouspète la taupe.

– Je creuse le plus grand trou du monde, répond Roselyne.

– Pour quoi faire ? grogne la taupe.

– Je veux découvrir l'univers, dit Roselyne. Aller au Mexique
ou en Antarctique, trouver un trésor ou rencontrer un pingouin,
qui sait ?

– Écoute-moi bien, jeune lapine, dit la taupe. Je creuse des centaines de trous par jour. Je suis une spécialiste des trous. Et je n'ai jamais vu le moindre petit pingouin.

« C'est parce qu'elle n'a jamais creusé le plus grand trou du monde », pense Roselyne.

– Tu m'as réveillée, ajoute la taupe. Et maintenant je suis de fort méchante humeur.

– Vraiment désolée, madame, murmure Roselyne. Je creuserai ailleurs.

– Des pingouins, ronchonne la taupe. Quoi d'autre encore ? Des éléphants ?

La taupe plonge dans sa chambre à coucher.

Au bout d'un moment, elle ronfle comme une tondeuse à gazon.

Roselyne soupire. Un autre trou à remplir.

Roselyne Rutabaga décide de creuser
près du lilas. Elle jette un coup d'oeil
autour d'elle. Pas un chat.
Du pied, elle tape le sol.
Pof! Pof! Pof!
Pas de ver de terre en colère.
Ni de taupe grognonne. Roselyne
se remet à creuser à grands coups
de pelle, de plus en plus vite.
Bientôt, on ne voit que
le bout de ses oreilles.

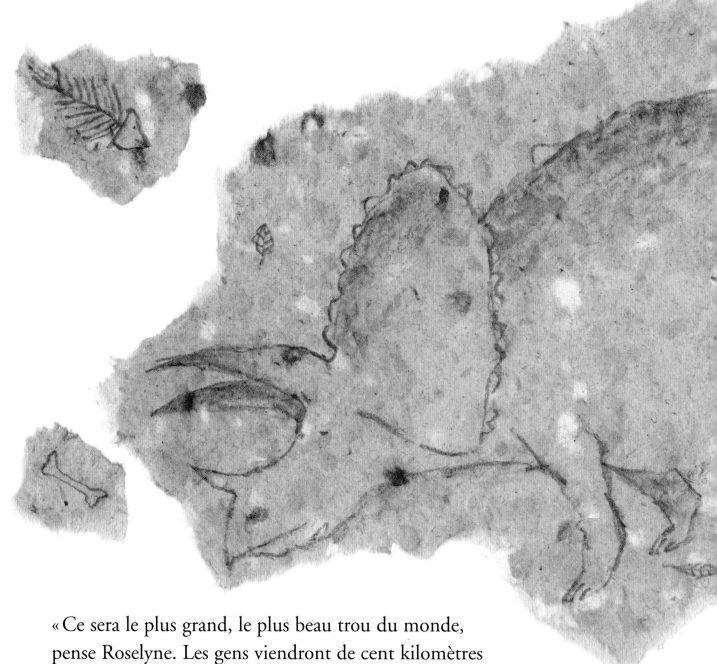

«Ce sera le plus grand, le plus beau trou du monde,
pense Roselyne. Les gens viendront de cent kilomètres
à la ronde pour l'admirer.»
Elle creuse encore plus vite. «Je vais peut-être trouver de l'or, ou… ou…»
– … un os de dinosaure! crie Roselyne.
Elle l'examine de près. Elle est très excitée. Elle sera célèbre!
– C'est… c'est… le petit orteil d'un tricératops! s'exclame-t-elle.

– Pas du tout ! jappe un chien. J'ai enterré cet os
la semaine dernière. Je l'ai volé au boucher
et je sais qu'il ne vend pas d'os de dinosaure !
Découragée, Roselyne lui lance l'os.
– Merci ! jappe le chien. Et va donc creuser ailleurs…
Tu mets mon garde-manger à l'envers.

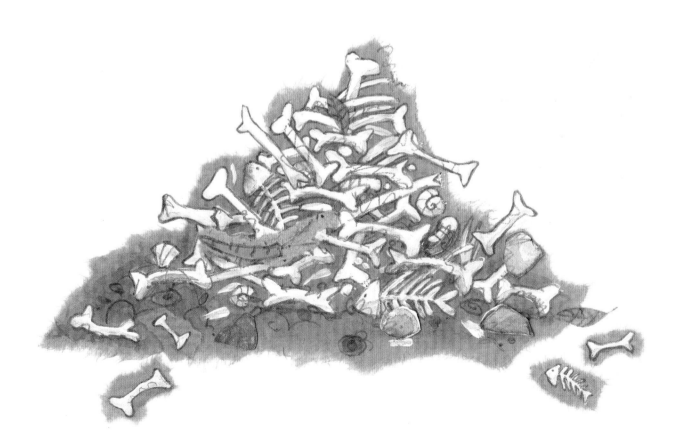

Roselyne est allongée au fond du trou.
Son rêve est brisé.
Elle ne creusera jamais le
plus grand trou du monde.
Jamais.

– Nom d'un lapin! dit le père de Roselyne. Quel trou
gigantesque! C'est certainement le plus grand trou
de l'univers! Roselyne, es-tu là?
– Oui, répond Roselyne.
– Je peux à peine te voir! dit son papa. Tu dois être affamée
après tout ce travail. Je vais aller chercher un petit
quelque chose à grignoter.
– Oh oui! dit Roselyne. Mais n'oublie pas ton chandail,
il fait vraiment froid en Antarctique.

– Papa, demande Roselyne, penses-tu que les pingouins
aiment les sandwiches aux carottes?
– Je n'en sais rien, répond son père. Mais dès que
nous en verrons un, nous lui poserons la question.
Roselyne sourit.
Elle a très hâte de rencontrer un pingouin.